Aplicaciones de Patchwork

APLICACIONES DE PATCHWORK

25 proyectos actuales explicados paso a paso

P E T R A   B O A S E

Fotografías de Polly Wreford

LIBSA

© 2015, Editorial LIBSA
C/ San Rafael, 4
28108 Alcobendas. Madrid
Tel. (34) 91 657 25 80
Fax (34) 91 657 25 83
e-mail: libsa@libsa.es
www.libsa.es

ISBN: 978-84-662-3013-1

Derechos exclusivos de edición para todos
los países de habla española.

Traducción: M.ª Jesús Sevillano Ureta

Título original: *New Crafts. Appliqué*

© MMXIII, Annes Publishing Ltd.

Créditos fotográficos:
Por cortesía de los fideicomisarios del Victoria and Albert Museum de Londres, páginas 8 y 9; Patrick Gorman, página 10
y Joseph Ortenzi, página 17.

Agradecimientos:
El editor agradece el trabajo a los colaboradores en los proyectos: Victoria Brown, Lucinda Ganderton, Jo Gordon,
Isabel Stanley, Daniella Zimmerman.

DL: M 18299-2014

CONTENIDO

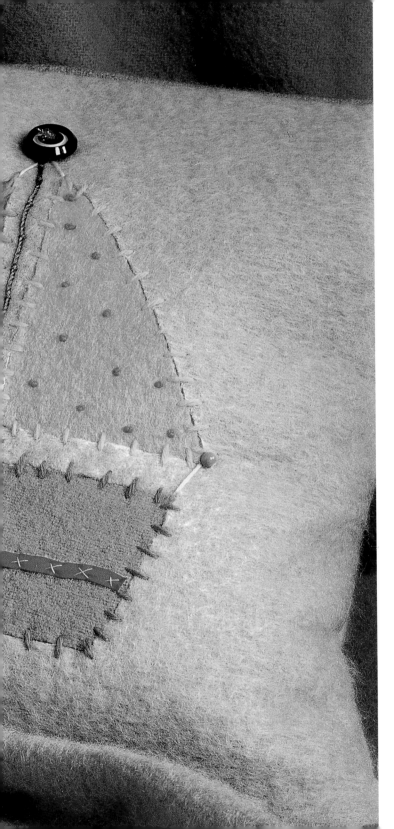

INTRODUCCIÓN

La aplicación es un método muy versátil que se emplea para fijar motivos textiles sobre una tela base y, posteriormente, enriquecerlos con puntadas decorativas. Se ha practicado durante siglos en todo el mundo, en muchos estilos y técnicas diferentes. No hay límites para los métodos de aplicación; puede ser atrevido y colorido, pictórico o abstracto, y se crean tanto diseños sencillos como complejos. Los 25 proyectos originales que se presentan en este libro muestran ejemplos de diferentes métodos de aplicación en los que se ha empleado una gran variedad de tejidos, adornos y puntadas para crear artículos que sirvan de inspiración.

IZQUIERDA: *Formas sencillas a modo de detalles de colores se utilizan con gran efecto en estas aplicaciones y demuestran que se pueden crear piezas contemporáneas empleando una técnica muy antigua.*

HISTORIA DE LA APLICACIÓN

La aplicación se ha practicado durante siglos en la mayoría de las culturas de todo el mundo. En un principio, sus orígenes fueron prácticos: retales de tela que podían volver a utilizarse cosiéndolos sobre un tejido base, prolongando así la vida de la ropa y de los materiales que tal vez escaseaban. Resulta interesante seguir la trayectoria del modo en el que esta labor inspiró un medio de expresión creativa; se podían cortar las telas dándoles formas y posteriormente adornarlas con puntadas. Al desarrollarse técnicas diversas de modo independiente en todo el mundo, surgieron estilos diferentes.

Aunque la aplicación surgió de un modo muy sencillo, como una forma de arreglar la ropa desgastada, se han descubierto algunos ejemplos que se remontan hasta el año 980 a.C., cuando los antiguos egipcios utilizaban pieles de animales para embellecer las ceremonias funerarias.

Durante la Edad Media, la aplicación fue un método de trabajo funcional y muy de moda entre los artesanos de la aguja. Debido a su bajo coste, se convirtió en el gran sustituto del bordado, más caro y para el que había que dedicar más tiempo. Se aplicaban telas a objetos tan diversos como muebles del hogar, banderas heráldicas y trajes. Tuvo mucho éxito en sotanas y en frontales de altares. En estos casos, se cortaban motivos en lino y se aplicaban a la tela base de terciopelo o seda con un ribete de hilos de seda o cordón. Los motivos se embellecían posteriormente con puntadas de hilo de oro.

Durante el Renacimiento, la aplicación se convirtió en un modo lujoso de embellecer muebles y cortinajes en palacios y castillos de la realeza y las clases altas. Además de estar realizados de un modo exquisito y de adornar de forma bella, muchos de los cortinajes con aplicaciones se colgaban y drapeaban por el hogar para dar calidez, especialmente en puertas de entrada y alrededor de las camas de cuatro postes para combatir corrientes de aire.

Los campesinos también seguían la tradición de la aplicación: retales de tejidos preciosos más caros, como la seda, se cortaban dándoles forma y se aplicaban a las partes dañadas de la ropa o a artículos domésticos. Surgió de la necesidad económica, pero también produjo resultados muy sofisticados. Por consiguiente, la aplicación llegó a estar muy asociada al arte popular y existen testimonios de esta técnica en la mayoría de las culturas del mundo. Por ejemplo, en Hun-

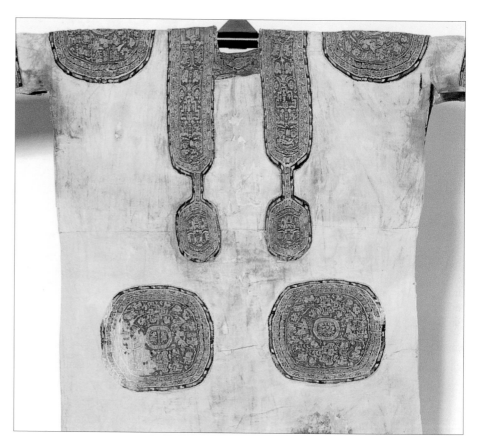

ARRIBA: *Se han descubierto aplicaciones que se remontan a varios siglos atrás, y las razones prácticas, como la de arreglar la ropa, pronto dieron paso a la búsqueda de efectos decorativos. Esta túnica de piel data de los siglos VI o VII d.C. Las aplicaciones están hechas de tapiz tejido.*

gría, la aplicación de piel se extendió ampliamente entre la sociedad campesina y era un símbolo de economía solvente debido a la carestía de este material.

En Estados Unidos, la aplicación se desarrolló de modo independiente por medio de diseños de colchas y edredones. Los diseños pasaban de generación a generación y solían basarse en la imaginería, como aves, cestas, frutas, ramos de flores o guirnaldas. La falta de recursos hizo famoso al edredón en toda América ya que se aprovechaba cada trozo de tela que sobraba después de cortar una prenda. Por razones prácticas, los edredones resultaban esenciales en los hogares debido a los inviernos austeros. Algunos edredones necesitaban tantas horas de trabajo que se reservaban para invitados privilegiados o para exponerse en casa.

Muchas de las técnicas que inspiran las labores contemporáneas se basan en los métodos intrincados y poco comunes que se practicaban en el Sudeste Asiático y en la India. En dicho país, la aplicación se empleaba normalmente para realizar colgaduras religiosas destinadas a festivales y ceremonias. La elección de los tejidos dependía de la importancia del evento. Las imágenes retratadas en los diseños solían proceder de la mitología y poseían un simbolismo muy espiritual. En el Sudeste Asiático se crearon dibujos de laberinto intrincados utilizando un método de calado.

Los diseños eran muy complejos y se empleaban para decorar prendas de vestir y cortinajes. En muchas tribus, esta destreza todavía es parte fundamental del trabajo de las mujeres.

Los siglos XX y XXI trajeron consigo movimientos interesantes e innovadores en el diseño. En la actualidad, la aplicación es rica y variada en estilo y posee diferentes utilidades. Muchos de los métodos empleados se basan en técnicas tradicionales que se han practicado a lo largo de los siglos en todo el mundo. La utilización de máquina de coser se ha convertido en un método muy habitual a la hora de aplicar

y embellecer motivos de tela; hoy en día, existen muchos tipos de adhesivos para telas en el mercado que ayudan a acelerar el trabajo. La aplicación se suele considerar el equivalente en tela al collage de papel y también debería realizarse de esa forma tan espontánea.

Con la diversidad de tejidos y adornos disponibles para elegir, los artistas pueden conseguir que sus diseños sean tan individuales e innovadores como deseen.

ARRIBA: *Bello ejemplo de panel decorativo de Persia que data del siglo XIX. Las piezas de tejido de lana de colores vivos se aplicaron a una tela base principal y se adornaron con decorativas puntadas de bordado, entre ellas el punto de cadeneta. Este exquisito ejemplo de un artesano de la aguja combina muchos de los aspectos más atractivos del método de la aplicación.*

Galería de fotografías

Los diseñadores utilizan la aplicación para crear una gama excepcional de objetos y efectos. Las piezas de las siguientes páginas comienzan con la misma técnica básica, pero los resultados son tan diversos como sus creadores. En los ejemplos siguientes se utilizan muchos materiales, como papel o plástico, y toda clase de tejidos naturales. Son un buen punto de partida para creaciones muy personales.

DERECHA: *CÍRCULOS Y CRUCES*
Este tapiz bordado está realizado en nueve secciones y se han combinado puntadas a mano y a máquina para aplicar seda, algodón, chifón y terciopelo sobre una tela base.
Charlotte Hodge.

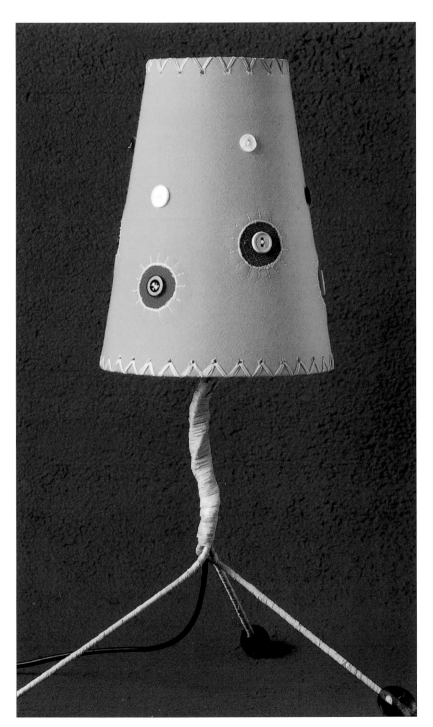

IZQUIERDA: *PANTALLA DE LÁMPARA MOTEADA*
La pantalla de tela se ha adornado con botones y círculos brillantes de color mediante la técnica de calado. Los motivos de tela se cosen por detrás de la tela base y luego se recorta esta para dejar al descubierto los colores que hay debajo. Helen Rawlinson.

ARRIBA: *CORTINA DE DUCHA*
Telas de PVC (vinilo) de colores vivos y diseños atrevidos se han utilizado con gran efecto en esta llamativa cortina de ducha. Anne Delauney.

DERECHA AL FONDO
Y DERECHA:
*CORTINA CON
APLICACIÓN DE
PAPEL Y DETALLE*
*Con una combinación
de materiales y tonos
sutiles se consigue esta
pieza sorprendente.*

*Cuadrados de papel
hecho a mano están
cosidos a una tela
base. Pequeños
cuadrados de
muselina pintados a
mano forman el
motivo central.
Christine Smith.*

IZQUIERDA: *TAPIZ*
*El artista utiliza
imágenes fotográficas
transferidas a la tela y
a continuación las
aplica sobre una tela
base. Natasha Kerr.*

PÁGINA SIGUIENTE:
*FLOR CON
APLICACIONES
DE ABALORIOS*
*Las perlas añaden
textura y detalle a esta
decoración de flor
sencilla y estilizada
para una funda de
silla. Con un diseño
de formas sencillas y
contrastes fuertes de
color, realizado en telas
resistentes, su
delicadeza causa una
grata sorpresa. Petra
Booz.*

DERECHA: *CHALECO CON APLICACIÓN TRANSPARENTE*
La base de este chaleco es de lino natural y resulta especial por los diseños de las aplicaciones en los bolsillos. Las piezas del dibujo se han recortado de retales de seda de colores, se han cosido a máquina para fijarlas en su lugar y, a continuación, se han cubierto con una capa de organza. Louise Brownlow.

DERECHA: *CHAQUETA INFANTIL*
Piezas de fieltro de diferentes colores unidas con la técnica del patchwork están decoradas con motivos sencillos de fieltro que se mantienen en su sitio mediante hilos de colores contrastantes. Los puños y el dobladillo están rematados con punto de festón. Katie Mawson.

ARRIBA: *TAPIZ*
Formas arquitectónicas se utilizan de manera casi abstracta en este tapiz con aplicaciones y bordados a máquina. Charlotte Hodge.

IZQUIERDA: *APLICACIÓN EGIPCIA*

Dos colores vivos que contrastan se utilizan para realizar esta aplicación egipcia que representa imaginería del arte islámico. Se han cortado varios trozos de algodón azul para crear el diseño; a continuación, se han aplicado sobre una tela base de un color rosa que hace contraste. Lucinda Ganderton.

ARRIBA: *BOLSA DE ASEO*

Accesorio perfecto para un baño de diseño. La forma básica se ha realizado con la técnica de patchwork, para después decorarla con dibujos originales que se han cosido en su lugar con punto de bastilla. Anne Delauney.

Materiales

La elección de los tejidos, ribetes y adornos es lo que hace que una pieza con aplicaciones resulte personal y única. Hay que seleccionar las telas con cuidado y elegir tantas como sea posible; hay que buscar retales de precios reducidos y nunca desechar trozos de tela que hayan sobrado porque es posible que algún día resulten útiles. Existen otros muchos materiales que pueden servir para la aplicación. A continuación, se enumeran varios de ellos.

- **Adhesivo en aerosol.** Es un pegamento que debería utilizarse con moderación y en una zona bien ventilada. Resulta útil para fijar tela a cartulina.
- **Adornos.** Existen muchos tipos diferentes, desde galones sencillos a pompones y flecos decorativos.
- **Botones y abalorios.** Se encuentran disponibles en una amplia gama de colores, materiales, tamaños y formas. Los botones se utilizan para decorar tanto como para abrochar o sujetar edredones, por ejemplo. No se deben emplear botones o abalorios en proyectos para niños, ya que podrían desprenderse y provocar asfixia.
- **Cinta adhesiva de doble cara.** Se utiliza para pegar tela a cartulina o a papel. No es tan fuerte como el adhesivo en aerosol o spray, por tanto las piezas podrían no durar tanto tiempo.
- **Cintas.** Disponibles en una amplia gama de colores, materiales, dibujos y texturas. Las cintas se pueden emplear de un modo funcional, como si fueran cordones, o como elemento decorativo.
- **Cola para pegar tela.** Se puede usar en vez de entretela termoadhesiva para unir telas o ribetes. Debería aplicarse con moderación.
- **Entretela termoadhesiva.** Es un material muy eficaz para unir y fijar dos piezas de tela. Consiste en una delgada tela adhesiva que se activa por la acción del calor de la plancha (ver *Técnicas básicas*). Se puede lavar y es muy duradera.
- **Fieltro.** Es una tela que no está tejida, es fácil de cortar y no se deshilacha; por ello,

resulta muy adecuada para los proyectos con aplicaciones.
- **Hilos de bordar (algodón egipcio).** Los hay de muchos grosores y texturas diferentes. Las hebras de algodón trenzado se pueden separar; lo mejor es usar hilos de bordar para decorar o sujetar bien las telas y solo dos hebras para trabajos finos.
- **Hilos de coser.** Se utilizan para coser telas a máquina o embellecer los diseños.
- **Hilos de lana.** El hilo de lana para tapices es un hilo de bordar áspero y fuerte que va muy bien con tejidos de lana; hay que utilizar una aguja de tapiz o lanera con el ojo grande. La lana de tricotar también se puede emplear para bordar o para hacer pompones.
- **Ribetes.** Son útiles para el acabado de los bordes.
- **Telas (tejidos).** Se pueden utilizar diversos tipos de tejido en la aplicación y, a menudo, se aprovecharán restos de tela y otros retales. En cada uno de los proyectos de este libro se aconseja sobre los tejidos adecuados para cada técnica o para su uso final. Algunos tejidos, como el algodón, se pueden teñir y obtener el color deseado para un diseño determinado.

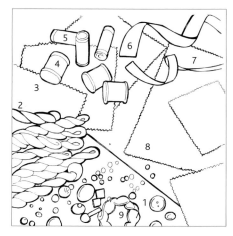

CLAVE
1. Botones y abalorios
2. Hilos de bordar (algodón egipcio)
3. Telas
4. Hilos de coser
5. Hilos de lana
6. Ribete
7. Cinta
8. Fieltro
9. Adornos

Equipo

Son muy pocos los utensilios especializados que se necesitan para la labor de la aplicación. El elemento más importante es un par de tijeras afiladas. Las tijeras que se utilicen para cortar telas o hilos deben ser diferentes a las que se empleen para cortar papel o cartón, o de lo contrario se desafilarán en muy poco tiempo.

- **Aguja fina.** Destinada a coser abalorios sobre la tela. Debe ser muy fina y flexible y resulta especialmente útil para coser abalorios muy pequeños.
- **Alfileres de acolchar.** Son más largos que los alfileres de modista normales y se emplean para unir y sujetar varias capas de tela y acolcharlas.
- **Alfileres de modista.** Se utilizan para prender las telas antes de hilvanarlas y coserlas. No se deben usar alfileres despuntados u oxidados ya que dejarán agujeros o marcas en la tela.
- **Cinta métrica.** Es más flexible que la regla y se utiliza para medir longitudes de tela.
- **Enhebrador de aguja.** No es imprescindible, pero ayuda a enhebrar las agujas cuando se cose a mano.
- **Imperdibles.** Se utilizan para mantener unidas varias telas. También se necesita un imperdible para pasar sin problema un cordón por una jareta.
- **Lapicero.** Resulta útil para ampliar a escala las plantillas. Para marcar sobre los tejidos, utilizar alguno de los materiales que se enumeran aquí.
- **Máquina de coser.** Sirve para aplicar y acolchar telas; si es posible, utilizar una máquina de coser con la que se puedan realizar diferentes tipos de puntada. Se pueden cargar las canillas con un hilo de distinto color al de la parte superior para crear efectos decorativos. Las costuras a mano sirven para proporcionar acabados decorativos.
- **Plancha.** Comprobar siempre la temperatura antes de planchar tejidos diferentes. Si es posible, sería buena idea planchar la entretela termoadhesiva con una plancha diferente.

- **Regla.** Utilizar una regla de metal para dibujar líneas rectas sobre la tela. También es posible que se necesite una regla para ampliar el tamaño de una plantilla.
- **Rotulador de punta de fieltro que se difumine.** Resulta muy útil para dibujar sobre la tela. Las marcas se difuminarán al contacto con el aire o con el agua (*ver* Técnicas básicas).
- **Tijeras de bordar.** Estas tijeras pequeñas son muy afiladas y se usan para recortar tela o cortar hilos. No utilizar para cortar piezas de tela grandes.
- **Tijeras de modista.** Se deberían emplear únicamente para cortar tela. Si se utilizan para cortar papel o cartón, se desafilarán los bordes.
- **Tijeras dentadas.** Son unas tijeras especiales con el filo serrado, diseñadas para que los bordes de la tela no se deshilachen. No se deberían usar para cortar papel.
- **Tiza de sastre (jaboncillo).** Resulta especialmente útil para marcar sobre telas oscuras o sobre aquellas que tengan una textura irregular. Desaparecerá al frotar o lavar.

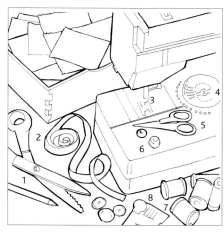

CLAVE
1. Tijeras dentadas	5. Tijeras de bordar
2. Cinta métrica	6. Canillas
3. Máquina de coser	7. Agujas
4. Alfileres de acolchar	8. Enhebrador de aguja

Técnicas básicas

La esencia de la aplicación es muy sencilla: pequeños trozos de tela se aplican a una tela de fondo para crear efectos decorativos. No obstante, las siguientes técnicas facilitarán la tarea y ayudarán a que el resultado final sea un éxito.

Traspaso del diseño original

Calco de plantillas

1 Colocar un trozo de papel de calco sobre la figura elegida. Dibujar el contorno de la figura o motivo utilizando un lapicero de mina blanda.

2 Retirar el papel de calco y darle la vuelta. Garabatear sobre las líneas trazadas, como se muestra en la imagen. Dar la vuelta al papel de calco otra vez y colocarlo sobre un trozo de papel o cartulina. Trazar el dibujo original.

3 A continuación, debe transferirse el motivo al papel o cartulina. Repasarlo con un lapicero.

Ampliación de plantillas

Para ampliar una plantilla, se calca sobre papel milimetrado. Se decide la escala a la que se desea ampliar y a continuación se dibuja otra vez sobre un trozo de papel milimetrado de mayor tamaño. Las plantillas también se pueden ampliar en una fotocopiadora.

Rotulador de punta de fieltro

Se utiliza para dibujar el contorno de una plantilla cuando se transfiere el motivo a la tela. Las marcas hechas se difuminan y desaparecen al contacto con el aire o el agua. También se puede usar lapicero de modista.

Uso de jabón de sastre

Resulta muy útil para dibujar sobre tejidos o telas oscuras de textura irregular. El jabón se elimina al frotar o lavar.

PLANCHADO DE ENTRETELA TERMOADHESIVA

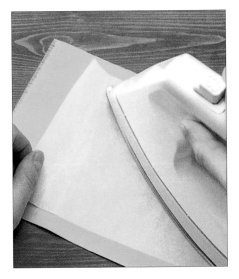

1 Calentar la plancha a temperatura media. Planchar la entretela sobre el revés de la tela.

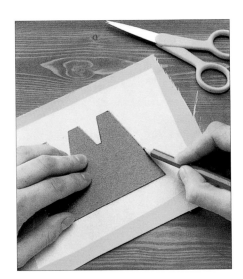

2 Colocar la plantilla sobre el papel de la parte posterior de la entretela. Dibujar el contorno de la figura a lapicero y, a continuación, recortar con cuidado con las tijeras.

3 Despegar el papel de la entretela. Colocar el motivo sobre la tela base y planchar para fijarlo en su sitio.

PUNTO RELLENO O DE BORDADO

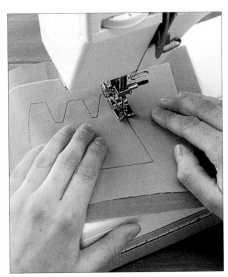

1 Dibujar en un trozo de tela el motivo. Sujetarlo a la tela base con un alfiler. Coser a máquina con puntadas rectas.

2 Recortar con unas tijeras afiladas la tela de aplicación que sobre, acercándose al máximo a las puntadas hechas a máquina.

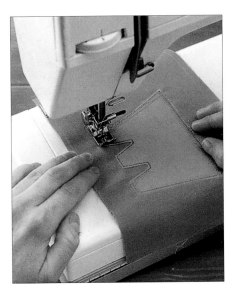

3 Coser a máquina a punto relleno o punto de bordado pasando por encima de la primera línea de puntadas y del borde del motivo.

HILVANADO SOBRE PAPEL

1 Dibujar el contorno de la figura sobre un trozo de tela. Recortar dejando 5 mm para la costura, como en la imagen.

2 Cortar otra plantilla de papel y colocarla por el revés del tejido de la figura. Hilvanar la costura sobre el borde del papel tirando suavemente del hilo. Hacer cortes en algunos puntos para poder plegarlo bien.

3 Pasar la plancha caliente por el revés de la tela. Quitar los hilvanes y la plantilla de papel con cuidado.

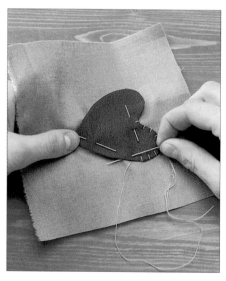

4 Prender con un alfiler la aplicación a la tela base. Coser a mano o a máquina alrededor del borde.

APLICACIÓN POR EL REVÉS

1 Dibujar el contorno de la plantilla en la tela principal. Dibujar otra línea a unos 5 mm por el interior de la aplicación. Recortar la forma interior. Hacer unos cortes, a igual distancia, en este margen de 5 mm y doblar para proporcionar un contorno regular y definido. Planchar para fijar en su sitio.

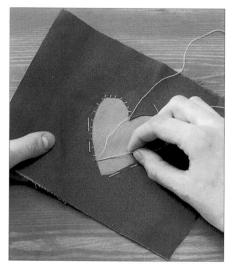

2 Colocar una tela por detrás y coser alrededor de la figura.

CORTE Y DOBLADO DE BORDES

Curvas

1 Con unas tijeras afiladas, dar unos cortes en la parte interior de la curva hasta la línea marcada. Para la parte exterior, cortar muescas de forma triangular dejando espacios uniformes entre ellas.

Puntas

1 Cortar la tela alrededor de la punta como se muestra en la imagen.

Ángulos internos

1 Dar un corte en el punto interior del ángulo hasta la línea marcada.

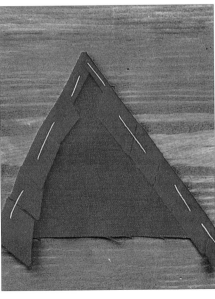

2 Doblar el borde siguiendo la línea marcada y hacia el revés de la tela. Planchar para fijar en su sitio.

2 Doblar el borde siguiendo la línea marcada y hacia el revés de la tela. Planchar para fijar en su sitio.

2 Después doblar el borde siguiendo la línea marcada y hacia el revés de la tela. Planchar para fijar muy bien en su sitio.

PUNTADAS A MANO

Se pueden emplear muchos tipos de puntadas diferentes para unir y embellecer aplicaciones. Estas son algunas de las más comunes.

Puntada recta

Clavar la aguja desde el revés de la tela hacia el derecho. Empezar tan cerca o tan lejos del borde como se desee, dependiendo del tamaño de la puntada que se necesite. Insertar la aguja en la tela base para hacer una puntada recta.

Nudos franceses

Clavar la aguja en el borde de la aplicación, desde el revés hacia el derecho de la tela. Sosteniendo el hilo con la mano izquierda, girar varias veces alrededor de la aguja. Manteniendo el hilo tenso, girar la aguja y clavarla en la tela en el mismo punto. Tirar suavemente de la aguja para formar un nudo limpio.

Punto de pluma

Partiendo desde un punto de la aplicación, clavar la aguja desde el revés hacia el derecho de la tela. Hacer puntadas inclinadas alternativamente, a izquierda y derecha, pasando la aguja a través del bucle que forma el hilo en cada puntada. Las puntadas de la izquierda mantendrán el motivo en su sitio.

Punto de festón

Se trabaja de izquierda a derecha. Clavar la aguja desde el revés hacia el derecho de la tela. Empezar tan cerca o tan lejos del borde como se desee, dependiendo de si se desea una puntada pequeña o grande. Dar una puntada vertical sujetando el hilo con la punta de la aguja mientras se clava en la tela. Distanciar las puntadas lo más uniformemente posible.

Punto de bastilla

Es la puntada a mano más sencilla para coser una aplicación. Clavar la aguja en el borde del motivo, desde el revés hacia el derecho de la tela. Insertar de nuevo la aguja en la tela, dejando un espacio de aproximadamente la misma longitud que la puntada. Las puntadas pueden ser de cualquier tamaño. Se alternará la longitud de las puntadas para un mayor efecto decorativo.

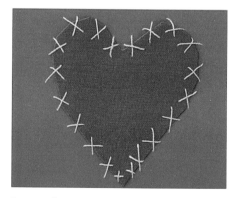

Punto de cruz

Clavar la aguja desde el revés hacia el derecho de la aplicación de tela. Empezar tan cerca o tan lejos del borde como se desee, dependiendo de si se quiere una puntada pequeña o grande. Insertar la aguja en la tela base formando un ángulo. Sacar la aguja nuevamente por el motivo y pasar justo por encima de este punto. Hacer una puntada en dirección contraria a la primera para formar el aspa.

CORAZONES PARA DECORAR REGALOS

Siempre es un placer recibir una tarjeta hecha a mano y una caja de regalo a juego. No hace falta dedicar mucho tiempo y el resultado es espectacular. Los diseños de este proyecto están realizados con colores intensos y telas elegantes, y resultan perfectos para el día de San Valentín, pero se podría adaptar la idea fácilmente a otras ocasiones especiales empleando motivos y colores diferentes.

1 Cortar pequeños corazones en retales de organza que sean un poco menores que el ancho de la cinta de organza. Se necesitan unos 20 corazones por cada metro de cinta.

2 Coser cada corazón a la cinta a punto de bastilla y con un hilo que contraste. Alternar los colores de los corazones a lo largo de la cinta.

3 Para la etiqueta del regalo, cortar un trozo de cartulina del color deseado y del tamaño necesario y perforar un agujero en la parte superior.

Materiales y equipo necesarios

Tijeras de modista • Retales de organza • Cinta de organza de 1 cm de ancho • Aguja e hilos de coser que contrasten • Tijeras para papel • Cartulina de color • Taladradora • Hilos de bordar • Cinta adhesiva de doble cara • Cordón para decorar • Regla • Surtido de abalorios • Caja de regalo pequeña

4 Recortar un corazón de organza y colocarlo sobre un cuadrado de un color que contraste. Poner una tercera pieza de organza sobre la parte superior. Decorar con puntadas realizadas con hilos de bordar y una cinta en la etiqueta.

6 Para la tarjeta de felicitación, cortar un trozo de cartulina de 12 x 20 cm y doblar por la mitad. Utilizar capas de organza para formar el diseño principal y unir las telas con hilvanes para mantenerlas en su sitio.

7 Embellecer la aplicación con abalorios y puntadas decorativas. Fijarla a la tarjeta con cinta adhesiva de doble cara.

5 Cortar una longitud de cordón decorativo y pasarlo a través del orificio perforado. Atar los dos extremos con un nudo.

8 Para la caja de regalo, montar otra aplicación, empleando una combinación de telas, e hilvanarlas como antes para mantenerlas en su lugar. Embellecer con abalorios y puntadas decorativas y fijarlas a la tapa con cinta adhesiva.

COLLAGE PARA LA COCINA

Las telas azules y blancas, lisas o estampadas, forman un atractivo collage para colgar en la pared de la cocina.
Se puede exhibir el cuadro tal como es, como un pequeño tapiz para colgar en la pared, o bien montarlo en una caja con frente
de cristal, de modo que el vidrio proteja la aplicación. El collage también quedaría bien en tonos de otro color,
como rosa o verde, para que combine bien con la vajilla.

1 Cortar dos trozos de tela, una lisa y otra a rayas, de modo que la tela base mida 34 x 42 cm en total. Unirlas cosiéndolas a máquina y luego cubrir la costura con cinta de tela adhesiva. Doblar los bordes 1 cm y planchar. Sujetarlos con un alfiler.

2 Planchar la entretela termoadhesiva por el revés de los retales, tanto el estampado como el liso.

3 Calcar las plantillas de cafetera y tazas que se proporcionan al final del libro y hacer las formas (*ver* Técnicas básicas). Dibujar el contorno de las plantillas en la entretela y recortar.

Materiales y equipo necesarios

Tijeras de modista • Telas de algodón lisas y a rayas • Máquina de coser e hilos para combinar • Cinta de tela adhesiva • Plancha •
Alfileres de modista • Entretela termoadhesiva • Plantillas • Retales de tela lisos y estampados • Papel de calco • Lapicero blando •
Papel o cartulina • Tijeras para papel • Rotulador textil de punta de fieltro • Tijeras de bordar • Aguja • Hilos de bordar •
Pompón pequeño (opcional) • Botones • Ribete de pompones o borlas • Cuchillo de artesano • Esterilla • Cinta adhesiva de doble cara

4 Despegar el papel posterior de la entretela de las formas de la cafetera y colocarlas sobre la tela base. Planchar para fijarlas en su sitio. Repetir los pasos del 1 al 4 para la taza.

6 Coser una línea circular a punto de bastilla en la parte superior de la taza para que parezca humo. Coser otra línea a punto de bastilla para simular el vapor que sale de la boca de la cafetera.

7 Coser el ribete de pompones o borlas a lo largo del borde inferior, como se muestra en la imagen, de modo que queden a la vista por el derecho del diseño.

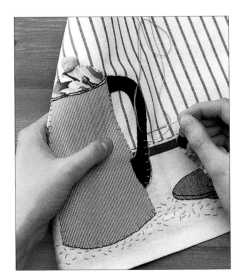

5 Decorar la aplicación con puntadas sencillas. Perfilar algunas de las formas con puntadas rectas o de festón para que destaquen. Coser un pompón pequeño (también puede ser un botón) sobre la tapadera.

Unas puntadas a mano sencillas y decorativas complementan este diseño de estilo rústico.

8 Coser a mano los bordes doblados del cuadro.

10 Para enmarcar la aplicación, cortar un trozo de esterilla. Sujetar la aplicación con una tira de cinta adhesiva de doble cara a lo largo del borde superior. Firmar el dibujo a lapicero si se desea.

9 Añadir un botón en cada esquina a modo de decoración.

Delantal con alfabeto

Motivos grandes y llamativos y colores vivos resultan ideales para este delantal infantil. Las telas de algodón se refuerzan con costuras dobles y en zigzag, de ese modo el delantal soportará bien el uso y el lavado frecuentes.

1 Doblar las telas principales por la mitad y a lo ancho. Hacer coincidir el revés de cada una y los puntos centrales y prenderlas con alfileres por un lado. Coser a máquina, doblar sobre la costura y coser de nuevo. Marcar curvas en las esquinas superiores y cortar. Hacer dobladillo en los bordes.

2 Ampliar las letras (ver plantillas) hasta los 7 cm de largo y recortarlas.

3 Dibujar el contorno de las letras en la parte posterior de la entretela termoadhesiva. Planchar la entretela sobre el revés de los retales de tela. Usar colores diferentes para letras que estén próximas y recortar.

4 Colocar las letras sobre el delantal. Despegar el papel de la entretela y planchar para fijarlas en su sitio una vez se esté conforme con la colocación de las mismas.

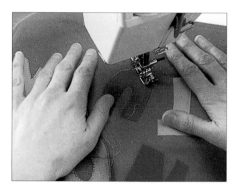

5 Coser a máquina alrededor de los bordes de las letras, con hilos que combinen y con puntada en zigzag.

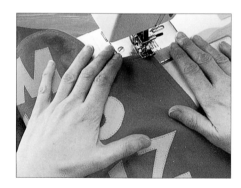

6 Cortar la cinta de tela en cuatro partes iguales. Coser dos a máquina en los laterales del delantal y una a cada lado del borde del cuello. Anudar en el cuello. Lavar el delantal a mano y planchar con cuidado una vez esté seco.

Materiales y equipo necesarios

Tela de algodón rojo de 40 x 70 cm • Tela de algodón azul de 30 x 40 cm • Alfileres de modista • Máquina de coser e hilos para combinar • Tiza de sastre (jaboncillo) • Tijeras de modista • Plantillas de letras • Papel de calco • Lapicero blando • Papel milimetrado • Papel o cartulina • Tijeras para papel • Entretela termoadhesiva • Plancha • Retales de algodón de colores vivos • Tijeras de bordar • 1,5 m de cinta de tela amarilla de 2 cm de anchura

MANTA DE MANOS Y CORAZONES

La propia mano se utiliza como plantilla en esta tradicional manta acolchada. Los motivos simbólicos y los tejidos de algodón a cuadros se han tomado prestados de diseños populares americanos y proporcionan una sensación de calidez y hospitalidad.

En este proyecto, los botones no son una simple decoración, sino que sirven para unir las capas de tela acolchada.

Se debe colocar la mantita en una superficie plana para acolcharla y trabajar desde el centro hacia el exterior.

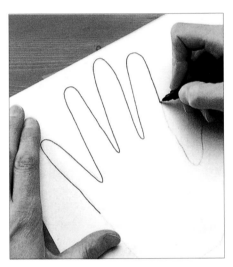

1 Trazar el contorno de la mano a lapicero. Dibujar de nuevo el contorno con un rotulador de punta de fieltro simplificando la forma.

2 Calcar la forma de la mano y transferirla al papel que cubre el revés de la entretela termoadhesiva (*ver* Técnicas básicas). Planchar la entretela sobre el revés de una de las piezas de tela a cuadros y recortar.

3 Dibujar una forma de corazón sobre entretela. Planchar la entretela por el revés de una pieza de tela que contraste y recortar. Planchar el corazón sobre la mano, como se muestra en la imagen.

Materiales y equipo necesarios

Lapicero blando • Papel • Rotulador de punta de fieltro • Papel de calco • Entretela termoadhesiva • Tijeras de modista • Plancha •
Retales de tela de algodón a cuadros, de colores diferentes • Un cuadrado de 1,5 m de tela de algodón de color crema intenso •
Alfileres de modista • Máquina de coser e hilos para combinar • Un cuadrado de 1,6 m de tela de algodón a cuadros, para la parte posterior •
Un cuadrado de 1,5 m de guata de poliéster • Imperdibles • Hilos de bordar en hebras, de algodón • Aguja • Surtido de botones

4 Hacer otras 11 formas de mano, variando las telas. Planchar un corazón sobre cada mano. Despegar el papel de la entretela.

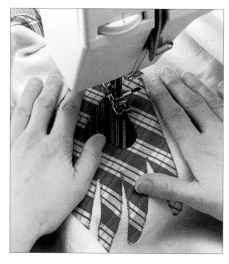

6 Con hilos que combinen, coser a máquina alrededor de la mano y del corazón con puntadas en zigzag cerradas.

8 Doblar la tela de abajo 1 cm todo alrededor. Doblar de nuevo 5 cm hacia el derecho de la manta y planchar para hacer el borde. Prender alfileres y después coser a máquina ingleteando las esquinas. Coser botones entre las manos con hilo de bordar de seis hebras.

5 Colocar las manos sobre la tela de color crema dejando un espacio de unos 25 cm alrededor. Sujetar con un alfiler en su sitio y planchar.

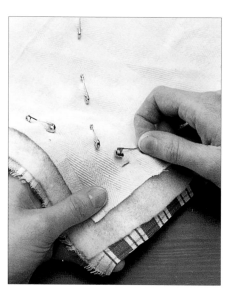

7 Colocar la tela sobre una superficie plana, con el lado del revés hacia arriba. Centrar la guata sobre ella. Colocar la aplicación encima, con el derecho de la tela hacia arriba. Recortar la guata de modo que la tela de atrás mida 6 cm más todo alrededor. Asegurar las tres capas con imperdibles.

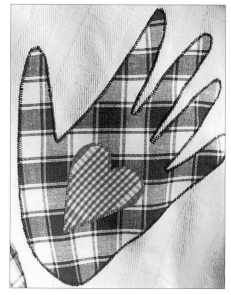

El secreto para trabajar con diferentes dibujos es elegir una gama de colores limitada.

CALCETÍN CON MOTIVO DE ÁNGEL

El uso de diferentes tonalidades de azul oscuro y tela vaquera produce una buena combinación ya que demuestra que no siempre es necesario emplear colores vivos o contrastantes en la aplicación. Es una buena manera de reciclar camisas y pantalones vaqueros.

1 Calcar las figuras de ángel que aparecen al final de este libro y hacer las plantillas (*ver* Técnicas básicas). Planchar entretela termoadhesiva por el revés de los retales de tela vaquera. Dibujar el contorno de las plantillas en la entretela y recortar.

2 Dibujar un calcetín grande en un trozo de papel y recortarlo para hacer la plantilla. Colocar la plantilla sobre dos retales de tela vaquera, dibujar el contorno y recortar. Despegar el papel de la tela termoadhesiva. Colocar las aplicaciones sobre el derecho de la tela de una de las piezas del calcetín y planchar para fijar en su lugar.

3 Decorar el ángel con diferentes puntadas de bordado, como se muestra en la imagen. Coser los rasgos de la cara y el pelo.

4 Coser botones alrededor del ángel y por el resto del calcetín.

Materiales y equipo necesarios

Plantillas · Papel de calco · Lapicero blando · Papel o cartulina · Tijeras para papel · Plancha · Entretela termoadhesiva · Retales de tela vaquera, de diferentes tonos de azul · Lapicero de modista o rotulador textil de punta de fieltro · Tijeras de modista · Aguja · Hilos de bordar de algodón · Botones · Alfileres de modista · Cinta · Máquina de coser e hilos para combinar · Tijeras dentadas · Tela a cuadros

5 Haciendo coincidir los derechos de la tela, sujetar con alfileres las dos piezas del calcetín dejando el borde superior abierto. Cortar 12 cm de cinta, doblar por la mitad y meterla entre las dos piezas del calcetín por un lateral, a unos 6 cm del borde superior. Coser a máquina las piezas dejando 1 cm para la costura. Cortar los bordes con unas tijeras dentadas.

7 Coser a máquina, dejando 1 cm para la costura y una abertura de 15 cm en uno de los lados. Meter el calcetín de tela vaquera dentro del forro e igualar los bordes superiores. Unir la tela vaquera y el forro prendiendo alfileres alrededor de la abertura superior. Coser a máquina dejando 1 cm para la costura.

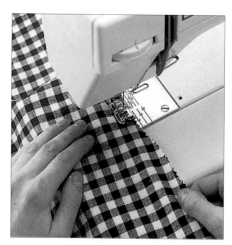

6 Para realizar el forro de tela a cuadros, cortar con tijeras dentadas dos piezas con la forma del calcetín. Haciendo coincidir el derecho de las telas, unirlas con alfileres excepto la parte superior, que quedará abierta.

8 Doblar el borde del calcetín de tela vaquera hacia el interior de la abertura y a continuación el del forro. Coser la abertura con puntadas invisibles. Coser una línea de puntadas de bastilla alrededor del borde superior del calcetín. Realizar otros calcetines de la misma manera, variando los diseños.

BOLSA DE JUGUETES

Es una bolsa resistente de dril de algodón para ordenar los juguetes o guardar la ropa sucia. Si se desea utilizar la bolsa para meter ropa húmeda o prendas deportivas, se puede añadir un forro de plástico en el interior de la bolsa.

1 Doblar la tela de dril de algodón por la mitad y a lo ancho, haciendo coincidir el derecho con el derecho. Coser a máquina las costuras laterales, deteniéndose a 25 cm de la parte superior. Coser por el revés para reforzar la costura. Doblar hacia atrás los bordes superiores 10 cm, de modo que coincidan los derechos de la tela. Coser, dejando un margen de 1 cm para la costura, y doblar dejando el derecho de la tela hacia fuera. Dar la vuelta a la bolsa.

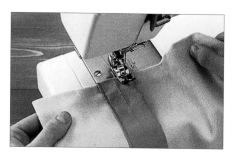

2 Para hacer las jaretas para las cintas, cortar dos tiras de tela que contraste. Doblarlas por la mitad a lo largo y plancharlas. A continuación, abrir y doblar los laterales hacia el centro. Doblar cada uno de los extremos. Colocar una a cada lado de la bolsa y coser en su sitio dejando abierto un extremo. Cortar una segunda pieza de tela que contraste de 23 x 21 cm. Doblar 6 mm hacia abajo en cada lado y planchar.

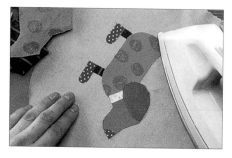

3 Calcar las formas de perro que aparecen al final de este libro y hacer las plantillas (ver Técnicas básicas). Planchar la entretela termoadhesiva por el revés de los distintos retales. Dibujar el contorno de las plantillas sobre la entretela y recortar. Colocar las formas del perro sobre el cuadrado de tela y planchar para fijar en su sitio.

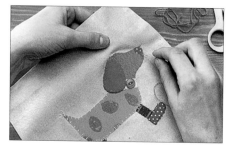

4 Coser un abalorio para el ojo del perro y bordar nudos franceses para hacer la nariz. Coser un botón a modo de collar.

5 Colocar el cuadrado de tela en uno de los lados de la bolsa y sujetar con alfileres. Coser a máquina. Coser a mano un botón en cada esquina.

6 Cortar la cinta por la mitad. Prender un imperdible en un extremo de una de las cintas y pasarlo por el interior de la jareta. Fijar los extremos con alfileres. Pasar la segunda cinta por la segunda jareta y sujetar con alfileres los extremos. Cortar cada cuadrado de fieltro en dos triángulos. Enganchar cada par de extremos de cinta entre dos triángulos y coser el borde con puntada de bastilla.

Materiales y equipo necesarios

Tijeras de modista • Pieza de dril de algodón de 50 x 150 cm, para la bolsa • Máquina de coser e hilos para combinar • 2 telas lisas de tejidos que contrasten • Plancha • Plantillas • Papel de calco • Lapicero blando • Papel o cartulina • Tijeras para papel • Entretela termoadhesiva • Retales de distintas telas • Aguja e hilos de bordar de algodón • Tijeras de bordar • Abalorio • Botones • Alfileres de modista • 3 m de cinta estrecha • Imperdibles • 2 cuadrados de fieltro de 10 cm, de colores diferentes

MANTA DE CORAZONES Y ESTRELLAS

Esta manta decorada con colores vivos alegra a la vez que calienta. Su atractivo radica en los colores intensos y en la textura de la tela. Todos los motivos de la aplicación están hechos con tejido de manta y cosidos a mano con hilo de lana que proporciona un toque atrevido y una sensación rústica al diseño. Si la manta es para niños, habrá que evitar el uso de abalorios o botones; en su lugar, es preferible realizar puntadas decorativas.

1 Calcar y preparar las plantillas de corazón y estrella que aparecen al final del libro (*ver* Técnicas básicas). Dibujar el contorno de las plantillas sobre el tejido de manta utilizando un rotulador de punta de fieltro y recortar.

2 Bordar nudos franceses en algunos corazones y estrellas empleando colores que contrasten (*ver* Técnicas básicas).

3 Decorar los demás corazones y estrellas a punto de cruz en colores que contrasten.

Materiales y equipo necesarios

Plantillas • Papel de calco • Lapicero blando • Papel o cartulina • Tijeras para papel • Retales de tejido de manta de diferentes colores • Rotulador textil de punta de fieltro • Tijeras de modista • Aguja para coser lana • Lana para tapiz o para tejer de distintos colores • Surtido de abalorios • Botones pequeños de colores • Manta • Alfileres de modista

4 Coser abalorios sobre algunos de los motivos. Asegurarse de que están bien cosidos.

6 Para decorar, coser una línea a punto de bastilla en los extremos de la manta con un tono de lana que contraste.

7 Colocar la manta sobre una superficie plana y distribuir los corazones y las estrellas de manera artística.

5 Coser botones en los demás motivos y bordar con más puntadas decorativas utilizando hebras de lana.

Los botones y abalorios añaden riqueza a la aplicación.

8 Coser parte de los motivos a la manta con puntadas rectas (*ver* Técnicas básicas) utilizando hebra de lana de un color que contraste.

10 Dar algunas puntadas grandes e individuales a punto de cruz sobre la manta, donde no hay aplicaciones.

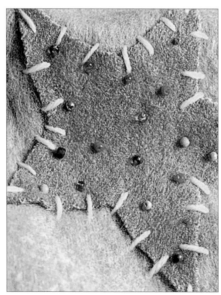

9 Coser el resto de los motivos a la manta a punto de festón.

La puntada recta resulta decorativa y sujeta la aplicación a la manta.

Cojín de terciopelo en mosaico

Esta lujosa funda de cojín de terciopelo es el resultado de usar retales de tela de un modo inteligente. Las formas triangulares y el bordado decorativo son reminiscencias del «patchwork loco», muy popular en la era victoriana, cuyo objetivo era crear un diseño al azar, de ahí su nombre. Para montar el cojín, ver el proyecto del cojín con aplicación invertida.

1 Medir el cojín. Para la parte delantera de la funda, cortar una pieza de terciopelo de ese tamaño añadiendo 2 cm todo alrededor. Cortar triángulos de diferentes tamaños de retales de terciopelo que contrasten. Planchar los bordes de los triángulos doblando unos 7 mm, asegurándose de que los bordes queden rectos.

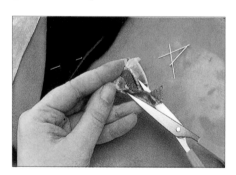

2 Recortar la tela que sobre en las esquinas. Hilvanar los bordes de cada triángulo. Colocar los triángulos sobre el terciopelo base y sujetarlos con alfileres.

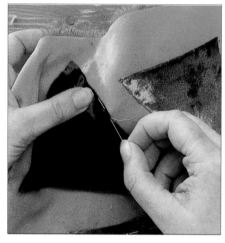

3 Coser alrededor de cada triángulo con puntadas invisibles. Quitar los hilvanes.

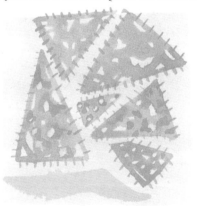

4 Perfilar algunos triángulos a punto de pluma, empleando hilos de bordar que contrasten.

5 Coser los bordes de los triángulos a punto de festón y otras puntadas de bordado decorativas. Montar la funda e introducir el cojín.

Materiales y equipo necesarios

Cinta métrica • Cojín • Tijeras de modista • Terciopelo • Retales de terciopelo que contrasten • Alfileres • Plancha • Tijeras de bordar • Aguja •
Hilo de hilvanar • Alfileres de modista • Hilos de coser para combinar • Hilos de bordar de algodón

Pantallas rústicas

Lino de color natural y telas de aplicación con textura se complementan para crear estas maravillosas pantallas de lámpara. Para lograr el efecto rústico, basta con deshilachar los bordes de las telas y decorar el diseño con botones y puntadas de bordado. Vigilar las pantallas cuando se estén utilizando.

1 Ampliar la forma de pantalla que aparece al final de este libro de modo que mida 10 cm de altura (*ver* Técnicas básicas). Transferir a cartulina y recortar para hacer la plantilla.

3 Dibujar corazones en retales de tela y recortar. Cortar pequeños cuadrados de tela y deshilacharlos. Colocar algunos corazones sobre los cuadrados en la pantalla; coser con puntada recta e hilo de bordar de dos hebras.

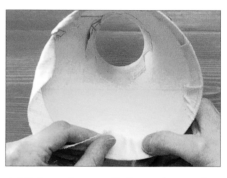

5 Colocar la pantalla boca abajo, sobre una superficie protegida y rociar adhesivo. Colocar la plantilla de cartulina encima. Doblar los bordes del lino hacia el interior alisando la tela en el proceso.

2 Utilizando un rotulador textil de punta de fieltro, dibujar el contorno de la plantilla sobre la tela de lino. Recortar añadiendo 1,5 cm para las curvas.

4 Añadir corazones individuales. Coser botones de perla en el centro de algunos corazones y distribuir algunos por la tela base. Variar el tipo de puntadas decorativas.

6 Doblar el borde sin rematar y engomar. Curvar la pantalla y sujetarla con clips hasta que se seque el pegamento. Coser con puntadas invisibles el borde de unión.

Materiales y equipo necesarios

Plantilla • Papel de calco • Lapicero blando • Papel milimetrado • Cartulina • Tijeras para papel • Rotulador textil de punta de fieltro • Pieza de 25 x 35 cm de lino de color natural • Tijeras de modista • Retales de color natural y de telas con textura • Tijeras de bordar • Aguja • Hilos de bordar en hebras de algodón • Botones pequeños de perla • Adhesivo en aerosol • Cola para pegar tela • Clips para papel

Estrellas de Navidad

Rojo y verde, los colores tradicionales para esta festividad se mezclan y combinan en estos dos diseños complementarios. Ambos se pueden realizar a mano de un modo sencillo y rápido con pequeñas puntadas de bastilla. Además de este efecto atrevido y coordinado, se puede experimentar con otros colores diferentes o embellecer las decoraciones navideñas con abalorios, lentejuelas o hilos brillantes.

1 Dibujar el contorno de la estrella en papel o cartulina y hacer la plantilla. Dibujar con tiza de sastre (jaboncillo) el contorno de la plantilla en el fieltro.

2 Cortar en fieltro la misma cantidad de estrellas rojas y verdes.

3 Con la punta de las tijeras, perforar una de las estrellas rojas a 5 mm del borde. Recortar una estrella más pequeña, dejando un borde de 5 mm alrededor.

Materiales y equipo necesarios
Lapicero blando · Papel o cartulina · Tijeras para papel · Tiza de sastre (jaboncillo) · Fieltro rojo y verde · Tijeras de bordar · Aguja e hilos para combinar · Retales de tela estampada · Cinta

4 Coser el borde rojo a una de las estrellas verdes a punto de bastilla, con puntadas pequeñas e hilo que combine.

6 Unir las estrellas preparadas, incluyendo en el centro una estrella roja lisa. Coser las tres estrellas juntas por el interior.

8 Unir ambas estrellas cosiendo los bordes con puntadas rectas.

5 Coser una estrella roja pequeña en una verde más grande.

7 Para realizar una decoración diferente, recortar un pequeño círculo en el centro de una estrella de fieltro verde. Colocar encima una estrella roja, de modo que una pequeña parte de tela estampada se vea a través del agujero. Coser alrededor del agujero a punto de bastilla.

9 Usar un lazo de cinta para colgar. Otra alternativa sería enrollar hilo de coser sobre cuatro dedos. Coser el lazo en una punta de cada estrella dando pequeñas puntadas.

Cojín con aplicación invertida

La aplicación invertida es una variante de la técnica básica en la cual el diseño se dibuja sobre la tela base y se recorta dejando espacios abiertos. Las figuras recortadas se colocan después sobre telas de colores que contrasten, se recortan de nuevo y los colores complementarios se utilizan para rellenar los espacios. Esta técnica es más adecuada para tejidos del mismo grosor que no se deshilachen, como tela de manta o de lana.

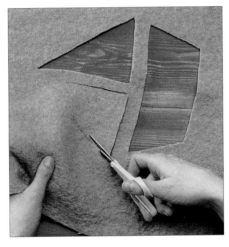

1 Calcar las plantillas que aparecen al final del libro y ampliar al tamaño necesario (*ver* Técnicas básicas). Medir el cojín y recortar una pieza de tela de manta para esta medida añadiendo 2 cm todo alrededor. Colocar las plantillas sobre la tela principal. Con un rotulador de punta de fieltro, dibujar el contorno de las plantillas por el revés de la tela.

2 Cortar con tijeras de bordar (las que son muy afiladas) los motivos de la tela principal.

3 Colocar cada motivo recortado sobre una pieza de tela de manta de diferente color, prender con alfiler y recortar.

Materiales y equipo necesarios

Plantillas • Papel de calco • Lapicero blando • Papel o cartulina • Tijeras para papel • Cinta métrica • Cojín cuadrado • Tijeras de modista • Telas de manta de diferentes colores • Rotulador textil de punta de fieltro • Alfileres de modista • Tijeras de bordar • Cola para tela y pincel • Aguja para tapiz • Hebras de lana • Aguja e hilo de coser • Retal de fieltro • Cordón • Botón grande • Abalorios • Cinta estrecha • Telas de algodón que contrasten • Plancha • Máquina de coser • 4 pompones

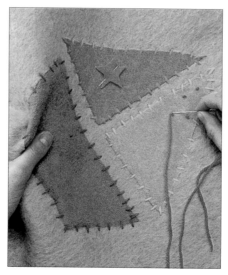

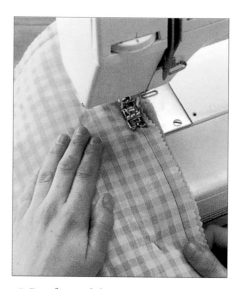

4 Cortar una pieza de tela de algodón más grande que el dibujo del barco. Aplicar cola sobre el revés de la pieza del paso 1, detrás de las zonas recortadas.

6 Usar hebras de lana de colores para decorar las velas con nudos franceses (*ver* Técnicas básicas) y una estrella recortada de un retal de fieltro.

8 Para forrar el diseño, cortar una pieza de tela de algodón de la misma medida que la parte delantera del cojín y colocarla por el revés de la aplicación. Para la parte posterior del cojín, cortar dos piezas de tela de diferentes colores que sean de la misma anchura, pero cuya longitud corresponda a dos tercios del total del cojín. Doblar y planchar un dobladillo doble de 1 cm en los dos bordes de la abertura; coser a máquina. Colocar la parte delantera del cojín sobre las dos piezas que se solapan en la parte posterior haciendo coincidir el derecho de las telas y coser a máquina todo alrededor. Darle la vuelta para que quede por el derecho y coser un pompón en cada esquina.

5 Colocar los motivos de colores recortados en los espacios abiertos y sujetar con alfileres. Con hebras de lana de colores, coser a mano las figuras con puntadas rectas grandes.

7 Recortar un pequeño rectángulo de tela para hacer la cabina y fijarla en su lugar. Con hilo de coser, fijar un trozo de cordón para el mástil, añadir un botón grande arriba y coser un abalorio en cada esquina inferior de las velas. Coser una cinta a punto de cruz a lo largo del casco del barco.

Pañuelo con aplicaciones transparentes

Este pañuelo, delicado y vaporoso, está compuesto de capas de chifón (vale cualquier tipo de gasa) con aplicaciones cuadradas y motivo de hoja. El chifón se deshace, por tanto es mejor hilvanar las capas para asegurarlas bien antes de coser a máquina. Las aplicaciones se unen con puntadas decorativas, y los bordes del pañuelo se enrollan y se cosen a mano.

1 Cortar una pieza de chifón de 30 x 105 cm de color beis. Doblar por la mitad a lo largo y planchar, abrir el doblez y realizar pliegues de 15 cm en toda su longitud. Cortar cuadrados de 17 cm de chifón verde y azul. Hilvanar un cuadrado por el reverso de la pieza principal, con las líneas del pliegue como guía.

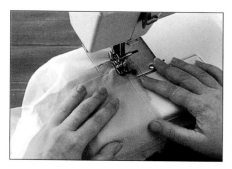

2 Siguiendo las líneas del pliegue, coser a máquina los cuadrados en su sitio. Recortar la tela sobrante a 3 mm de la línea de puntadas. Repetir a lo largo de todo el pañuelo.

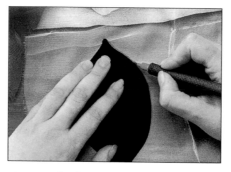

3 Hacer la plantilla de la hoja y del círculo. Con un rotulador textil de punta de fieltro, dibujar el contorno de las plantillas varias veces sobre los cuadrados de chifón.

4 Unir con un alfiler cada aplicación cuadrada a un cuadrado del pañuelo que contraste, eligiéndolos al azar. Hilvanar, después coser a máquina alrededor del motivo. Recortar la tela sobrante a 3 mm de la línea de puntadas.

5 Para cubrir los bordes sin rematar de los motivos, coser con hebra doble de hilo y a punto de pluma sobre las líneas cosidas a máquina.

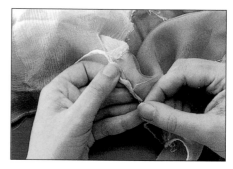

6 Enrollar cada borde del pañuelo con el dedo índice y el pulgar hasta que los bordes sin rematar queden ocultos. Coserlo con puntadas invisibles.

Materiales y equipo necesarios

Tijeras de modista · Chifón, de tres colores diferentes · Plancha · Alfileres de modista · Aguja · Hilo de hilvanar ·
Máquina de coser e hilos para combinar · Lapicero blando · Papel o cartulina · Tijeras para papel · Rotulador textil de punta de fieltro · Tijeras de bordar

SOMBREROS CÁLIDOS

Con estos divertidos corazones y flores, cosidos a dos sombreros ya confeccionados y a una bufanda, se puede alegrar un frío día de invierno. Los motivos sencillos se adornan con abalorios, botones e hilo de bordar. Se debe usar una plancha al mínimo para los tejidos de lana y, cuando se cosan las aplicaciones, hay que tener cuidado para no estirarlos o deformarlos.

1 Para el sombrero de corazón con botones, dibujar una forma de corazón grande en papel o cartulina y recortar para hacer la plantilla. Dibujar el contorno de la plantilla sobre un trozo de entretela termoadhesiva. Planchar sobre un trozo de fieltro y recortar.

2 Colocar el corazón en la parte delantera del sombrero. Planchar en su sitio con la plancha al mínimo.

4 Decorar el corazón con botones de diferentes tamaños y colores.

3 Con hilo de bordar de un color que contraste, coser alrededor del borde del corazón con puntadas rectas.

Materiales y equipo necesarios

Sombreros de lana variados • Lapicero • Papel o cartulina • Tijeras para papel • Entretela termoadhesiva • Tijeras de bordar • Plancha • Retales de fieltro • Aguja • Hilos de bordar • Varios botones, de tamaños y colores diferentes • Rotulador textil de punta de fieltro • Bufanda de lana • Aguja fina • Cuentas de cristal pequeñas • Lana de tejer • Cordón

5 Para la bufanda de flores, dibujar flores en papel o cartulina y recortar con las tijeras de bordar. Con rotulador de punta de fieltro, dibujar el contorno de las plantillas sobre retales de fieltro.

7 Enhebrar una aguja fina y hacer un nudo en el extremo de la hebra. Insertar algunas cuentas de cristal y coserlas en el centro de la flor. Decorar todas las flores de la misma manera.

9 Para el sombrero con pompón, hacer dos plantillas (una más pequeña) de corazón. Planchar entretela termoadhesiva sobre retales de fieltro. Dibujar el contorno de las plantillas varias veces sobre la entretela y recortar. Colocar los corazones más grandes alrededor del borde del sombrero y planchar para fijarlos en su sitio. A continuación, colocar los corazones más pequeños encima y planchar.

6 Colocar las flores en los dos extremos de la bufanda. Dar unas puntadas con hilo de bordar en el centro de cada flor para fijarlas.

8 A punto de bastilla, dar puntadas con hilo de bordar entre los espacios que hay entre las flores. Atar los extremos con un nudo doble y después recortar.

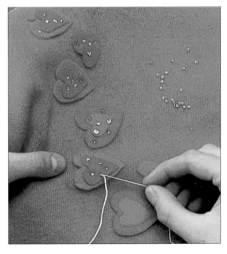

10 Decorar los corazones con puntadas y cuentas, empleando hilos de bordar de colores que contrasten.

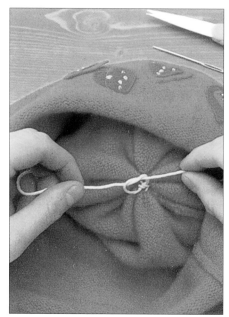

11 Para hacer el pompón, cortar dos círculos de 12 cm de diámetro en cartulina. Recortar un círculo de 4 cm de diámetro en el centro de cada uno de ellos. Unir ambos y envolverlos con lana de tejer, pasando por el agujero hasta que esté relleno. Meter la punta de unas tijeras afiladas entre las dos piezas de cartulina y cortar la lana. Pasar un trozo de cordón entre las dos piezas de cartulina y anudar. Retirar los círculos de cartulina.

12 Ahuecar el pompón para formar una bola y recortar. Coser en la parte superior del sombrero.

Con un corazón decorado con botones se consigue una aplicación muy actual.

Cojín de lunares

Las distintas texturas de felpa, terciopelo y lana se combinan en este cojín de aplicaciones. Se ha seguido la técnica de aplicación invertida (*ver* Técnicas básicas). Las costuras están hechas a máquina, excepto el ribete de pompones o borlas.

1 Medir el cojín y cortar una pieza de tejido de lana de ese tamaño añadiendo 2 cm todo alrededor. Con tiza de sastre (jaboncillo), trazar el contorno de un objeto circular sobre seis cuadrados del mismo tejido, como se muestra en la imagen.

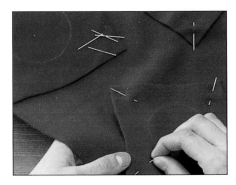

2 Colocar los cuadrados sobre la pieza principal de tejido de lana, no demasiado cerca del borde. Prenderlos con alfileres.

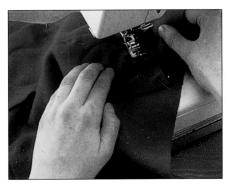

3 Coser a máquina alrededor del círculo con puntadas rectas. Retirar los alfileres.

4 Cortar las dos capas de tela juntas por el interior de cada círculo y cerca de la costura. Pasar el resto de la tela por el agujero y planchar. Recortar cuadrados de terciopelo y de felpa más grandes que los agujeros. Sujetar el cuadrado de tela por detrás de cada agujero prendiendo un alfiler y, después, coser a máquina alrededor del círculo.

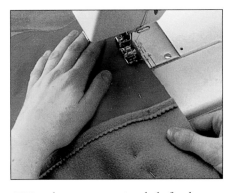

5 Para la parte posterior de la funda, cortar dos piezas de distintos colores, de la misma anchura pero de una longitud que corresponda a dos tercios del cojín. Doblar 1 cm en los dos bordes de la abertura para hacer dobladillos dobles y plancharlos. Coser a máquina. Unir a la pieza delantera.

6 Dar la vuelta a la funda. Coser a mano un ribete de pompones o borlas alrededor del borde y meter el cojín.

Materiales y equipo necesarios

Cinta métrica • Cojín • Tijeras de modista • Tela de lana • Tiza de sastre (jaboncillo) • Plantilla circular • Alfileres de modista •
Máquina de coser e hilos para combinar • Tijeras de bordar • Plancha • Retales de terciopelo y de felpa de diferentes colores •
2 telas de distinto color, para la parte posterior • Tijeras dentadas (opcional) • Ribete de pompones o borlas • Aguja e hilos para combinar

Delantal de jardinero

Tecnología moderna y artesanía tradicional se reúnen en este diseño sorprendente, donde se ha hecho uso de una máquina de transferencia de calor de una tienda de fotocopias. Se pueden utilizar otras imágenes de revistas o fotografías para crear un delantal personalizado, tal vez para un cocinero o un artista. En el paso 2, se puede emplear transferencia de imagen en gel en vez de máquina de transferencia de calor. Se deben dejar enfriar y secar los estampados antes de doblarlos o moverlos.

1 Recortar varias imágenes de flores. Pegarlas ligeramente sobre una hoja de papel de tamaño A4.

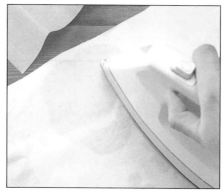

3 Con la plancha al mínimo, planchar entretela termoadhesiva por el reverso de la tela que se ha estampado con las flores.

4 Recortar las flores y colocarlas sobre el delantal. Despegar el papel de la parte posterior de la entretela y planchar para fijarlas en su sitio utilizando una plancha fría y un trozo de tela de algodón.

2 Llevar la tela de algodón elegida a una tienda de fotocopias donde haya máquina de transferencia de calor. Transferir las imágenes a la tela. Dejar enfriar.

5 Coser el borde de las flores con puntadas rectas e hilos de coser que combinen.

Materiales y equipo necesarios

Tijeras para papel • Imágenes de flores de revistas o fotografías • Pegamento para papel • Hoja de papel tamaño A4 • Tela de algodón blanco • Plancha • Entretela termoadhesiva • Tijeras de bordar • Delantal • Aguja • Hilos de coser para combinar

CORTINA DE FIELTRO

Este atrevido diseño abstracto puede alegrar una ventana o utilizarse para disimular un rincón descuidado. Sobre rayas cosidas a máquina se han superpuesto círculos de colores y están unidos con grandes puntadas hechas a mano. Las telas de fieltro no se deshilachan, así que no hay que preocuparse del acabado de los bordes. Se puede hacer una cortina a medida para adecuarla a una zona deseada; una versión más grande proporcionaría un buen separador de ambientes.

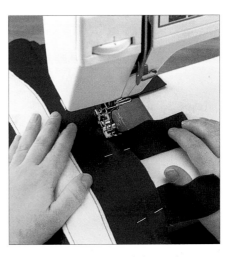

1 Medir y cortar el fieltro azul al tamaño de la cortina deseada. Cortar el fieltro de color crema en tiras de 4 cm de anchura y, a continuación, sujetarlas con alfileres al fieltro azul dejando una separación de 4 cm. Coser a máquina cada lado con hilo azul.

2 Para hacer las presillas de colgar, cortar una tira de fieltro azul de 12 cm de anchura y del ancho de la cortina. Hacer una marca con tiza de sastre (jaboncillo) cada 4 cm. Hacer un corte en cada línea marcada llegando hasta la última y, a continuación, cortar piezas alternas. Dejando una tira de 4 cm, cortar la parte de abajo.

3 Enhebrar una aguja e hilvanar las piezas para asegurarlas muy bien en su sitio.

Materiales y equipo necesarios
Cinta métrica • Fieltro azul • Tijeras de modista • Regla de metal • Fieltro color crema • Alfileres de modista •
Máquina de coser e hilos para combinar • Tiza de sastre (jaboncillo) • Tijeras de bordar • Retales de fieltro de colores •
Compás de corte y tapete (opcional) • Aguja • Hilos de bordar

4 En los fieltros de colores haga círculos y circunferencias de distintos tamaños para distribuirlos después por la pieza a rayas que ha realizado.

6 Extienda la pieza grande sobre una superficie plana y distribuya los círculos. Cuando haya decidido la ubicación exacta de cada uno, cósalos.

8 Doble la tela para crear un dobladillo (una buena opción es marcarlo con la plancha). A continuación, con la máquina de coser, fije los lados con hilo azul.

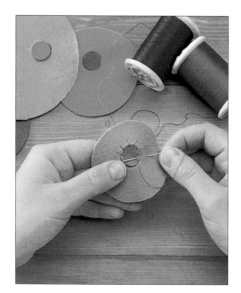

5 A los círculos grandes fije otros más pequeños en contraste de color. Puede usar puntada invisible, o alguna decorativa con hilos de bordar de colores alegres.

7 Para terminar las presillas, cosa a la pieza grande unos círculos pequeños de colores a la vez que une un extremo de cada presilla.

MANTEL DECORADO

La idea de recortar motivos de telas estampadas y aplicarlas a una tela lisa se realizaba ya en edredones antiguos. Las telas de cretona importadas del Lejano Oriente eran demasiado apreciadas como para desecharlas después de su uso, de modo que se recuperaban las mejores piezas y se reciclaban de esta manera. Para las aplicaciones, lo mejor es elegir tejidos que no se deshilachen o cubrir los bordes con una solución que evite el deshilachado disponible en tiendas de artesanía especializadas.

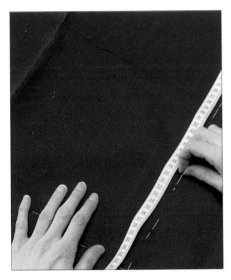

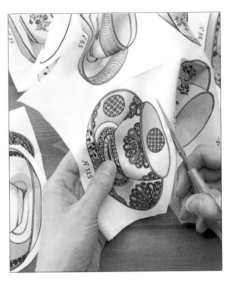

1 Doblar el mantel en cuatro partes y, a 25 cm del centro de cada pliegue, marcar con un alfiler. Desdoblar el mantel. Empleando como guías una cinta métrica y los alfileres, prender alfileres formando un cuadrado de 50 cm en el centro.

2 Recortar los motivos de la tela estampada utilizando unas tijeras de bordar. No es necesario que estén bien recortados en este paso.

3 Planchar entretela termoadhesiva por el revés de los motivos. Recortar con cuidado, tan cerca del contorno como sea posible. Si es necesario, tratar los bordes con una solución que evite el deshilachado.

Materiales y equipo necesarios

Mantel liso • Cinta métrica • Alfileres de modista • Tijeras de bordar • Tela estampada, con motivos apropiados • Plancha • Entretela termoadhesiva • Solución para evitar el deshilachado (opcional) • Cartulina • Máquina de coser e hilos para combinar • Servilletas

4 Colocar parte de los motivos alrededor del borde interior del cuadrado marcado.

6 Coser a máquina alrededor del borde de cada motivo, con puntada en zigzag.

5 Colocar el resto de los motivos dentro del cuadrado marcado. Deslizar un trozo de cartulina por debajo del mantel para proteger la superficie de trabajo. Despegar el papel de la parte posterior de la entretela y planchar para fijar los motivos.

7 Para hacer las servilletas a juego del mantel, aplicar motivos individuales en las esquinas utilizando entretela termoadhesiva y solución para evitar el deshilachado, si es necesario. Antes de usar, lavar a mano todas las prendas con cuidado.

Aplicaciones en ropa de cama

Resulta fácil personalizar la ropa de cama para que decore el dormitorio. Se pueden añadir los diseños siguiendo el borde de la tela o bien distribuirlos por la tela principal. En la funda de edredón se ha empleado una variante de la técnica del calado, es decir, se recorta el dibujo en la tela base y se cose por debajo con un color que contraste.

1 Dibujar formas de estrella en papel o cartulina. Dibujar el contorno de las estrellas sobre retales de tela de diferentes colores utilizando un rotulador de punta de fieltro que se difumine, dejando un espacio de 1 cm para la costura.

2 Recortar las estrellas de tela y hacer un corte en el espacio de la costura, como se muestra en la imagen, hasta la línea que se ha dibujado. No cortar la forma de estrella real.

3 Doblar la costura hacia atrás, haciendo coincidir el revés de las telas, y planchar sobre la estrella para que los bordes queden bien perfilados.

Materiales y equipo necesarios
Lapicero • Papel o cartulina • Tijeras para papel • Retales de tela de algodón • Rotulador textil de punta de fieltro • Tijeras de modista • Plancha • Funda de almohada de algodón • Alfileres de modista • Aguja • Hilo de hilvanar • Máquina de coser • Hilos de coser que contrasten • Funda de edredón • Tijeras de bordar

4 Colocar las estrellas siguiendo el borde de la funda de la almohada, prender alfileres e hilvanar para mantenerlas en su sitio.

5 Elegir un color que contraste y coser a máquina las estrellas, a punto de basti-lla. Quitar los hilvanes.

6 Para la funda de edredón, será necesario cortar dos círculos de tela de colores que contrasten para hacer cada uno de los motivos circulares.

7 Utilizando la plantilla de estrella de la funda de almohada, dibujar el contorno por el revés de cada uno de los círculos de tela.

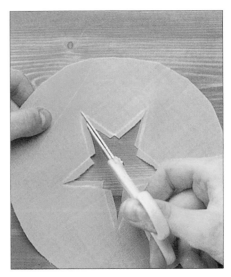

8 Recortar la estrella con tijeras de bordar a 5 mm de la línea del contorno, dejan-do el círculo intacto. Realizar un corte en las costuras, como antes, y, haciendo coinci-dir el revés de las telas, doblar el borde y plancharlo para que quede bien perfilado.

9 Colocar el círculo con el motivo recor-tado encima del otro círculo, sobre el derecho de la tela; prender alfileres e hilva-nar para sujetar las telas.

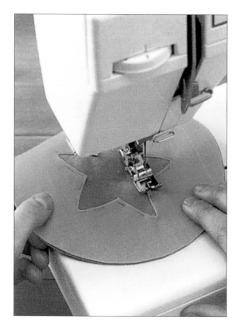

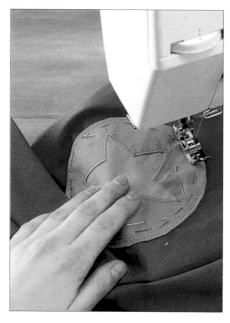

10 Coser a máquina alrededor de los bordes de las figuras de estrella y quitar con cuidado los hilvanes.

12 Colocar los motivos sobre la funda del edredón, sujetar con alfileres e hilvanar para mantenerlos en su sitio. Coser a máquina alrededor de los círculos con puntadas sencillas y decorativas, de colores de contrasten. Quitar los hilvanes.

11 Hacer unos cortes en el círculo, a un 1 cm del borde, doblar y planchar.

BOLSO DE NOCHE DE ORGANZA

Este exquisito bolso está decorado con delicadas flores de organza realizadas con sencillos flecos y cinta al bies. Una única flor cosida a los lazos de cinta dorada perfila los extremos. Cuando no se use, una idea original es llenarlo de un popurrí aromatizante o hierbas y colgarlo en un tocador o en el cabecero de la cama. También se puede hacer una bolsa más grande para guardar el camisón.

1 Dibujar en papel una forma ovalada de 14 cm de longitud y 11 cm en el punto más ancho. Recortar, prenderla con alfileres a la organza de color crema y recortar. Cortar dos piezas de organza azul de 18 cm de ancho por 20 cm de largo.

2 Unir ambas piezas de organza azul doblándolas por la mitad y cosiéndolas a máquina por el lado más corto. Haciendo coincidir el derecho de las telas, hilvanar al óvalo de organza de color crema y coser.

4 Cortar al bies 11 tiras de organza de diferentes colores, variando la anchura entre 1,5 cm y 3 cm.

3 Para hacer la jareta de la cinta, doblar 1 cm el borde abierto y coser con puntada invisible. Utilizar hilo transparente en todo lo que se cosa a mano.

Materiales y equipo necesarios
Papel • Lapicero • Cinta métrica o regla • Tijeras para papel • Alfileres de modista • Organza de color crema • Tijeras de modista •
40 cm de organza azul • Máquina de coser e hilos para combinar • Aguja • Hilo de hilvanar • Hilo de coser transparente •
Retales de organza de colores que contrasten • Imperdible • 50 cm de cinta dorada estrecha

5 Para hacer flecos en un lado de cada tira, tirar de los hilos. Coser una línea a punto de bastilla grande a lo largo del otro borde de la tira.

7 Coser la base de cada una de las flores para que mantengan su forma.

9 Coser las flores dobles al bolso, disponiéndolas a modo de ramo.

6 Tirar del extremo del hilo para fruncir la organza; al mismo tiempo ir enrollando la tira en el dedo para formar la flor.

8 Para hacer una flor más compacta, colocar una forma de flor dentro de otra. Unirlas cosiéndolas por la base, con puntadas pequeñas. Preparar otras cuatro flores de la misma manera, mezclando colores. Reservar una flor.

10 Clavar un imperdible en un extremo de la cinta e introducirla por la jareta. Anudar los extremos y, a continuación, coser en el nudo la flor que se había dejado aparte.

PELELE CON ALAS DE ÁNGEL

Esta prenda garantiza que cualquier bebé parezca dulce y bueno. Para ello hay que colocar las alas en la parte trasera del pelele, a la altura de los omóplatos del bebé. Las alas llevan una capa de guata para dar efecto acolchado cuando se cosan a máquina los contornos. La misma técnica y diseño podrían ser utilizados para decorar otras prendas de bebé.

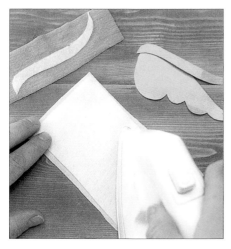

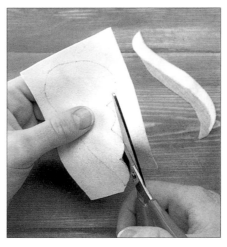

1 Calcar las alas y hacer las plantillas del final del libro (*ver* Técnicas básicas). Con rotulador textil de punta de fieltro, dibujar el contorno de la parte superior del ala en un trozo de entretela y, a continuación, plancharla por el revés de la tela azul. Planchar entretela por el revés de la tela rosa.

2 Dibujar el contorno de la parte inferior del ala en la entretela de la tela rosa. Recortar las formas dejando un margen de tela azul en el borde marcado con la letra A, como se muestra en la imagen. Repetir los pasos 1 y 2 para hacer la otra ala.

3 Unir las dos partes del ala hilvanándolas, asegurándose de que coincidan los dos trozos de entretela.

Materiales y equipo necesarios

Plantilla • Papel de calco • Lapicero blando • Papel o cartulina • Tijeras para papel • Rotulador textil con punta de fieltro •
Entretela ligera termoadhesiva • Plancha • Tejido de punto azul y rosa • Tijeras de bordar • Aguja • Hilo de hilvanar • Guata ligera •
Máquina de coser e hilos para combinar • Pelele

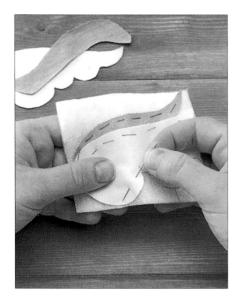

4 Hilvanar cada una de las alas a un pequeño trozo de guata.

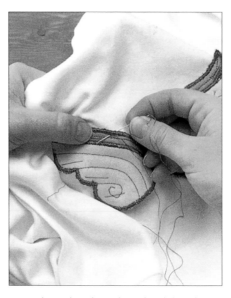

6 Colocar las alas sobre el pelele e hilvanar. Coser con puntadas invisibles empleando hilos que combinen con los colores utilizados para realizar las alas.

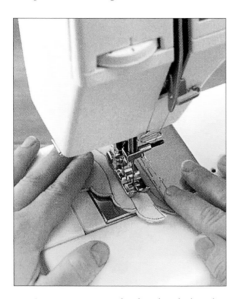

5 Coser a máquina los bordes de las alas, con hilo azul y puntadas rectas. Recortar la guata que sobre. Para decorar, coser a máquina los contornos. Ajustar la máquina para coser a punto relleno y coser alrededor de los bordes del ala.

COJÍN DE CINTAS

Seleccionar diferentes cintas de tejido liso y de brocado para realizar este cojín. A continuación, coserlas a máquina sobre una tela base de terliz, usando las rayas como guía. Siempre hay que coser de arriba hacia abajo para evitar que las cintas se arruguen. Completar con galón en el borde. Si solo se dispone de pequeños trozos de cinta, se puede hacer un cojín pequeño.

1 Cortar cintas de 35 cm de longitud. Colocarlas formando un bonito diseño.

3 Añadir las cintas estrechas cosiéndolas encima de la capa anterior.

5 Coser un dobladillo doble estrecho en cada uno de los bordes de 33 cm para hacer la abertura. Haciendo coincidir el derecho de las telas, prender con alfileres los lados de estas telas y los bordes de cinta más cortos, de modo que los bordes recortados queden hacia adentro. Coser alrededor, dejando 1 cm para la costura.

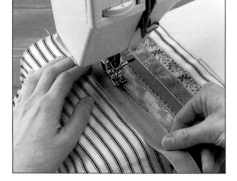

2 Empezando desde el lado derecho, coser a máquina las cintas anchas sobre la tela de terliz, con puntadas en zigzag cerradas. Seguir las rayas para mantener rectas las cintas.

4 Medir el tamaño final de 33 x 53 cm y marcar con rotulador textil de punta de fieltro. Si es necesario, recortar las cintas a este tamaño.

6 Empezando desde una esquina, coser el galón alrededor de la funda del cojín, con puntadas invisibles. Remeterlo un poco en las esquinas. Ocultar la unión de los extremos en la esquina. Meter el cojín.

Materiales y equipo necesarios

Tijeras de bordar • 10 cintas de 1 m de largo cada una, de diferentes anchuras • 2 trozos de terliz de 36 x 46 cm, con rayas paralelas hacia los lados más cortos • Máquina de coser e hilos para combinar • Regla • Rotulador textil de punta de fieltro • 2 cuadrados de tela de 33 cm de lado para la parte posterior • 155 cm de galón para decorar • Cojín de 30 x 40 cm

PANTALLA DE PÉTALOS DE ROSA

En este proyecto, los motivos de pétalo se aplican en capas para crear un efecto tridimensional. Lo mejor es colocar una bombilla de bajo voltaje y estar pendiente siempre de que esté encendida.

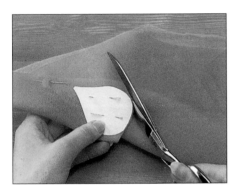

1 Dibujar dos pétalos en papel, uno más grande que otro. Recortar unos 20 pétalos de organza de diferentes tonos utilizando la plantilla grande.

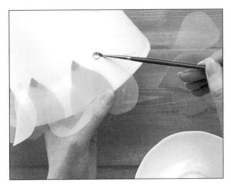

3 Aplicando cola con un pincel, pegar una fila de pétalos grandes, a 5 cm por encima del borde inferior de la pantalla, alternando los colores. Aplicar la cola únicamente en la punta de los pétalos. Superponer los pétalos hasta cubrir la pantalla.

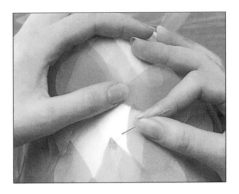

5 Otra alternativa es coser cada pétalo en su sitio usando hilo transparente. No hay que intentar atravesar la pantalla con la aguja, sino que basta con clavarla en la superficie de seda o algodón.

2 Recortar unos 20 pétalos pequeños usando la plantilla más pequeña.

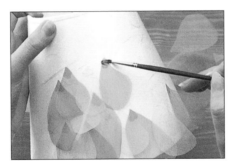

4 Trabajar poco a poco hacia la parte superior de la pantalla, mezclando pétalos grandes y pequeños y variando los colores. Dejar secar.

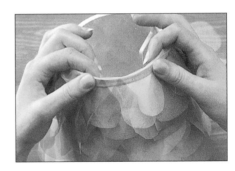

6 Utilizando una pequeña cantidad de cola PVA o una aguja e hilo transparente, fijar la cenefa en el borde superior de la pantalla. Doblarla hacia el interior y pegar o coser en su sitio.

Materiales y equipo necesarios

Lapicero • Papel • Tijeras para papel • Alfileres de modista • Piezas de organza de seda de 40 x 40 cm de tres tonos diferentes •
Tijeras de modista • Pincel pequeño • Cola PVA blanca • Platillo • Pantalla para lámpara de seda o de algodón • Aguja •
Hilo de coser transparente • Cenefa para pantallas

Cojín de encaje

Tejido de lino natural y retales de encaje pesado de color blanco combinan maravillosamente en este pequeño cojín, acabado con perlas y un borde de flecos. La misma técnica es muy apropiada para decorar una bata o una bolsa tipo saco.

1 Dibujar en papel una letra de 12 cm de altura y recortar para hacer la plantilla. Dibujar el contorno de la plantilla por el derecho de uno de los cuadrados de lino. Recortar los motivos del guipur, eligiendo figuras que se adapten a la forma de la letra.

3 Con hilo blanco, coser los motivos en su sitio con pequeñas puntadas rectas. Haciendo coincidir el revés de la tela, coser los dos cuadrados de lino, a mano o a máquina, a 3 cm del borde, dejando una abertura de 5 cm en uno de los lados. Sacar hilos de 2 cm de longitud para formar los flecos en los bordes. Rellenar con una pequeña cantidad de guata. Coser la abertura con puntadas invisibles.

4 Coser la cinta de encaje estrecha siguiendo la línea de costura para cubrir las puntadas y decorar los bordes.

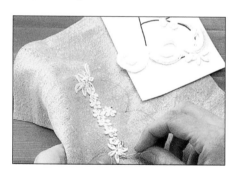

2 Tratar los bordes del encaje con la solución contra el deshilachado. Dejar secar. Transferir los motivos al lino e hilvanar.

5 Con una aguja fina, coser perlas muy pequeñas en el centro de los motivos de encaje en forma de flor. Coser una pequeña margarita del guipur en cada una de las esquinas del cojín.

Materiales y equipo necesarios

Lapicero • Papel • Tijeras para papel • Rotulador textil de punta de fieltro • 2 cuadrados de 22 cm de lado, de lino pesado de color natural • Tijeras de bordar • Retales de guipur blanco, incluyendo motivos florales y volutas • Solución contra el deshilachado • Aguja • Hilo de hilvanar • Máquina de coser (opcional) • Hilo de coser blanco • Guata • 90 cm de cinta de encaje blanco estrecha • Aguja fina • Perlas de abalorios muy pequeñas

ORGANZA CON APLICACIONES FIELTRADAS

En esta preciosa pieza traslúcida, el diseño se realiza empleando fibras de lana intercaladas entre capas de red y organza que después son fieltradas. El fieltrado es un proceso laborioso, por ello debe asegurar el tener suficiente espacio para trabajar. La pieza acabada puede servir de cortina o de separador de ambientes en una habitación.

1 Cortar por la mitad las longitudes de organza y red. Colocar una pieza de organza sobre una de red.

3 Poner encima más capas de lana en horizontal, y una tercera capa en vertical. Si se desea, añadir fibra de seda a la de lana.

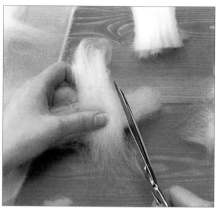

4 Recortar los bordes de cada montoncito de lana dándoles forma de cuadrados o rectángulos.

2 Extraer una fina capa de fibra de lana de 5 cm de longitud. Colocarla en vertical sobre la organza. Repetir creando un dibujo.

5 Repetir el proceso de capas verticales y horizontales alrededor de los bordes de organza para formar una orilla de lana.

Materiales y equipo necesarios
Tijeras de modista • 3,20 m de organza de seda blanca • 3,20 m de red plástica • 750 g de fibra de lana blanca merina • 25 g de fibra de seda (opcional) • Aguja e hilo para combinar • Lámina de plástico grande • Detergente de lavavajillas • Plancha

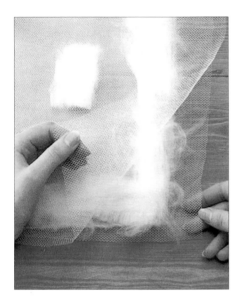

6 Colocar las demás piezas de red sobre el diseño.

7 Unir las dos piezas de red y organza cosiéndolas a mano por el borde y con puntadas grandes.

8 Proteger la superficie de trabajo con una lámina de plástico; a continuación, humedecer el «sándwich» de tejido con un poco de agua.

9 Aplicar detergente de lavavajillas sobre el tejido para ayudar al proceso de fieltrado.

10 Enrollar el tejido desde uno de los bordes. Fieltrar frotando la superficie con las manos, con un movimiento circular durante unos minutos, después desenrollar.

11 Continuar enrollando y fieltrando cada lado durante unos 15 minutos. Lavar el tejido en agua templada, extender en una superficie plana y dejar secar.

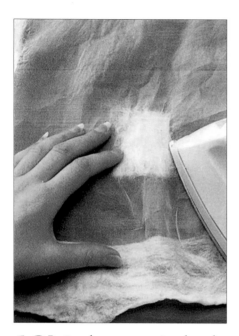

12 Retirar la capa superior de red y planchar el tejido fieltrado con sumo cuidado y a temperatura muy baja.

14 Los lazos podrían utilizarse para colgar el tejido de un marco de madera a modo de pantalla o biombo, o para colgarlo en una ventana o el rincón de una habitación.

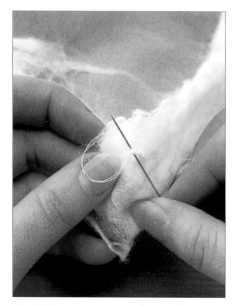

13 Dar unas puntadas firmes, formando un lazo, en cada una de las esquinas.

SILLA DE PLAYA

Una sencilla silla de director se puede convertir en un atrevido diseño de banderas de colores y castillos de arena amarillos.
Los nudos franceses cosidos a mano añaden un toque alegre.

1 Planchar la entretela termoadhesiva por el revés de la tela amarilla y sobre los retales para las banderas.

3 Quitar el respaldo de la silla. Despegar el papel de la entretela de cada una de las figuras y colocarlas por el derecho de la tela. Planchar para fijar en su sitio.

5 Coser una estrella sobre cada castillo de arena. Con hilo de bordar, hacer un nudo francés en el punto más alto de la bandera.

2 Calcar en papel o cartulina las plantillas de castillo y bandera que aparecen al final del libro. Recortarlas (*ver* Técnicas básicas). Con lapicero blando, dibujar el contorno de las plantillas en la entretela. Recortar.

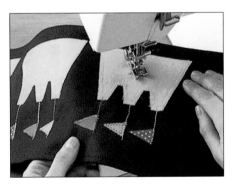

4 Coser a máquina alrededor del borde de cada motivo con puntadas en zigzag cerradas. Para las astas de las banderas, coser una línea de puntadas rectas que una las banderas a las torres.

6 Cortar un trozo de tela que cubra el diseño, dejando 5 mm para la costura. Doblar la costura y sujetarla con alfileres a la parte posterior del respaldo, haciendo coincidir el revés de las telas. Coser con puntadas invisibles.

Materiales y equipo necesarios

Plancha • Entretela termoadhesiva • Tela amarilla, para los castillos de arena • Retales de tela de diferentes colores, para las banderas •
Plantillas • Papel de calco • Lapicero blando • Papel o cartulina • Tijeras para papel • Tijeras de modista • Silla de director •
Máquina de coser e hilos para combinar • Aguja • Hilos de bordar de algodón de varios colores •
Tela que contraste, para forrar el respaldo de la silla • Alfileres de modista

PLANTILLAS

Si es necesario ampliar las plantillas, utilizar un sistema cuadriculado o una fotocopiadora. Para el cuadriculado, calcar la plantilla y dibujar una rejilla de cuadrados espaciados uniformemente sobre ese dibujo calcado. Para aumentar la escala, dibujar una cuadrícula grande en otro trozo de papel. Copiando individualmente la parte correspondiente a cada cuadro, pasar el contorno del dibujo a este segundo papel. Por último, repasar las líneas para darles continuidad. También pueden utilizarse dos tamaños diferentes de papel milimetrado.

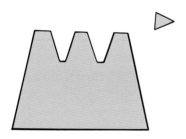

SILLA DE PLAYA, páginas 92-93

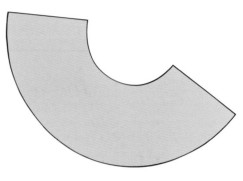

PANTALLAS RÚSTICAS, páginas 48-49

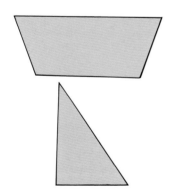

COJÍN CON APLICACIÓN INVERTIDA, páginas 53-55

DELANTAL CON ALFABETO, páginas 32-33

COLLAGE PARA COCINA, páginas 28-31

PELELE CON ALAS DE ÁNGEL, páginas 79-81

MANTA DE CORAZONES Y ESTRELLAS,
páginas 42-45

BOLSA DE JUGUETES, páginas 40-41

CALCETÍN CON MOTIVO DE ÁNGEL, páginas 37-39

ÍNDICE